7년 연속  전체 수석  합격자 배출

유도은
S+ 감정평가실무연습
2차 | 기본문제 3권 　목차집

유도은 편저

브랜드만족
1위
박문각

근거자료로
후면표기

제8판

박문각

박문각 감정평가사

합격까지 **박문각**

별책부록

감정평가실무

답안 목차집

감정평가실무 답안 목차집

01 감정평가실무 답안작성 FAQ

I 평가개요는 어떻게 써야 하는지?

본건은 (평가대상)에 대한 (평가목적)의 감정평가로서 기준시점으로 평가한다.

II 띄어쓰기는 어떻게 해야 하는지

일반적으로는 목차가 끝나면 한 칸씩 띄워 쓰면 된다. 다만 로마자가 끝나면 두 칸을 띄우는 것이 일반적이다. 다만, 문제의 배점이나 목차의 중요성에 따라 달리할 수 있다.

III 주석은 어떻게 달아야 하는지

특별한 논점이 없이 단순 계산을 추가하는 경우에는 주석을 달아 처리한다.

IV 계산기는 어떻게 쳐야 하는지?

계산기는 한 문제가 종료되면 치는 것을 원칙으로 연습한다. 다만, 예외적으로 중간에 계산 결과가 반드시 필요한 경우에는 중간에 칠 수 있다.

V 규정은 어디까지 써야 하는지?

「부동산공시법」 및 「감정평가에 관한 규칙」은 세부적인 조항까지 기재하는 것이 좋다. 다만, 실무기준이나 이하 지침 등에 대해서는 조항까지 기재할 필요는 없다.

VI 글씨는 얼마나 크게 써야 하는지?

글씨는 작은 것보다 큰 것이 좋다. 일반적으로 한 줄에 22자에서 25자 사이를 적정한 글씨 크기로 본다.

VII 답안지(16페이지)를 다 채워야 하는지?

실무과목은 답안지를 다 채우는 것에 초점을 맞출 필요는 없다(답안지를 한 권 더 받아서 써도 좋다). 다만, 문제별 배점이 있기 때문에 배점과 너무 큰 차이로 답을 쓰면 필요한 논점을 빠뜨리는 경우가 있으므로 주의해야 한다.

02 공시지가기준법

Ⅰ 평가개요

본건은 토지에 대한 ○○목적의 감정평가로서 20××. ××. ××.을 기준시점으로 감정평가한다.

감칙 제14조 공시지가기준법 기준

Ⅱ 비교표준지 선정

선정기준(감칙 제14조 제2항) : 인근지역 내 용도지역·이용상황·주변환경 유사 표준지 선정(용이주인)

Ⅲ 시점수정치

Ⅳ 지역 및 개별요인 비교

1. 지역요인 비교치

2. 개별요인 비교치

Ⅴ 그 밖의 요인비교치 결정

1. 평가선례(거래사례) 선정

2. 격차율 분석

3. 그 밖의 요인보정치 결정

Ⅵ 평가액 결정

표준지공시지가(원/㎡) × 시점수정 × 지역요인 × 개별요인 × 그 밖의 요인 ≒ 공시지가기준가액(원/㎡)

03 거래사례비교법[토지]

I 평가개요

본건은 토지에 대한 시가참조 목적의 감정평가로서 20××. ××. ××.을 기준시점으로 감정평가한다.

의의 : 대상물건과 가치형성요인이 같거나 비슷한 물건의 거래사례와 비교하여 대상물건의 현황에 맞게 사정보정, 시점수정, 가치형성요인 비교 등의 과정을 거쳐 대상물건의 가액을 산정하는 감정평가방법(감칙 제2조)

II 거래사례의 선정

III 거래사례의 토지가격

1. 사정보정

거래사례에 사정이 개입된 경우

거래사례에 특수한 사정이 반영되어 있는 등 수집된 거래사례의 가격이 적절하지 못한 경우에 그러한 사정이 없었을 경우의 적절한 가격수준으로 정상화하는 과정(실무기준)

2. 사례토지의 거래가격

배분법

IV 시점수정치

V 지역 및 개별요인 비교

VI 비준가액 결정

거래사례의 토지가격(원/㎡) × 사정보정 × 시점수정 × 지역요인 × 개별요인 ≒ 비준가액(원/㎡)

04 　원가법(건물)

I　평가개요

감칙 제15조 원가법 원칙

II　재조달원가 결정(대상물건을 **기준시점**에 **재생산**하거나 **재취득**하는 데 필요한 적정원가의 총액, 실무기준)

1. 직접법 : 본건 건축비(도급계약서 등)기준

(1) 건물과 무관한 항목 배제

(2) 시점수정 – 건축비지수

(3) 재조달원가 결정

2. 간접법

(1) 표준단가

(2) 부대설비보정단가

(3) 재조달원가

III　감가수정(재조달원가를 **감액하여야** 할 요인이 있는 경우에 물리적 감가, 기능적 감가, 또는 경제적 감가 등을 고려하여 그에 해당하는 금액을 **재조달원가에서 공제**하여 기준시점에 있어서의 대상물건의 가액을 **적정화**하는 작업, 감칙 제2조)

1. 내용연수법

2. 시장추출법

3. 분해법

4. 임대료손실환원법

5. 관찰감가법

IV　건물의 평가액 결정

재조달원가 – 감가수정 = 건물의 평가액

05 감가수정 - 분해법

Ⅰ 재조달원가

1. 주체부분

2. 부대부분

3. 재조달원가

Ⅱ 감가수정

1. 물리적 감가

(1) 치유가능 : 즉시치유비용

(2) 치유불능

1) 주체부분

2) 부대부분

※ 재조달원가 범위 내 치유비용 제외 → 이중감가 배제

(3) 계

2. 기능적 감가

※ 각 항목별 치유타당성 검토

(1) 항목 #1 (과소)

1) 타당성 : 조소득승수법, 직접환원법, PVAF - 치유비용
> 0(타당성 있음)

2) 감가액 : 치유비용(손실현재가치) - 신축 시 설치비

(2) 항목 #2 (과대)

1) 타당성 : 조소득승수법, 직접환원법, PVAF - 치유비용
> 0(타당성 있음)

2) 감가액 : 치유비용(손실현재가치) + 과잉부분의 가격
(재조달원가 - 감가상각)

(3) 항목 #3 (대체)

    1) 타당성 : 조소득승수법, 직접환원법, PVAF – 치유비용
       > 0(타당성 있음)

    2) 감가액 : 치유비용(손실현재가치) + 대체부분의 가격
       (재조달원가 – 감가상각) – 신축 시 설치비

(4) 계

3. 경제적 감가

※ 토지와 건물분으로 배분하여 건물분만 계산

4. 감가액(계)

Ⅲ 적산가액

재조달원가 – 감가수정

06 조성원가법(토지)

Ⅰ 평가개요

본건은 토지에 대한 시가참조 목적의 감정평가로서 20××. ××. ×× 을 기준시점으로 감정평가한다.

Ⅱ 준공시점의 토지가격

1. 소지매입비의 현가

(1) 실제 매입가격

(2) 소지상태의 감정평가액

(3) 결정

준공시점으로 미래가치(투하자본수익률)

2. 조성공사비의 현가

토지에 화체되는 비용

조성공사에 관련된 일체비용의 미래가치(투하자본수익률)

3. 준공시점의 토지가치

소지매입비현가 + 조성공사비 등

Ⅲ 토지의 감정평가액

준공시점 토지가치 × 성숙도보정* ≒ 토지평가액(원/㎡**)

* 지가변동률로 성숙도 수정

** 유효택지면적당 가격

07   **토지의 개발법**[건축 후 분양]

Ⅰ 평가개요

Ⅱ 분양수입의 현가

1. 개발계획의 확정

제시된 개발계획을 기준함.

(최유효이용에 대한 판단필요)

2. 분양수입의 총액

3. 분양수입의 현가

분양수입의 현재가치

Ⅲ 개발비용의 현가

1. 건축공사비 현가

2. 그 밖의 비용의 현가

Ⅳ 토지의 감정평가액

분양수입의 현가 − 개발비용의 현가 = 토지의 개발가치(원/㎡)

08 토지의 개발법(택지조성 후 분양)

I 평가개요

II 분양수입의 현가

1. 개발계획의 확정

용지조성 및 분양계획 확정

(최유효이용의 판단)

2. 분양수입의 총액

조성된 택지의 분양가(원/㎡)

3. 분양수입의 현가

분양수입의 현재가치

III 개발비용의 현가

1. 조성공사비 현가

2. 그 밖의 비용의 현가

IV 토지의 감정평가액

용지 분양수입의 현가 − 개발비용의 현가 = 토지의 평가액(원/㎡)

09 거래사례비교법(건물)

Ⅰ 평가개요

Ⅱ 거래사례의 선택
건물의 구조, 용도, 규모, 사용승인시점(연식) 등이 유사한 것

Ⅲ 거래사례의 건물가격

1. 정상거래가격
사정보정

2. 거래사례의 토지가치
거래시점 당시의 토지가격

3. 거래사례의 건물가격
정상거래가격 - 거래사례의 토지가치

Ⅳ 시점수정치
생산자물가지수, 건축비지수 등

Ⅴ 개별요인 비교치
건물의 잔가율에 대한 비교 포함

Ⅵ 건물의 비준가액
사례 건물가격 × 사정보정 × 시점수정 × 개별요인(잔가율 포함)
≒ 건물의 비준가액(원/㎡)

10 일괄거래사례비교법(토지·건물)

토지·건물의 비교방법

Ⅰ 거래사례 선택

본건과 용도지역, 건물의 용도, 사용승인일, 규모가 유사한 거래사례 선택

Ⅱ 토지, 건물의 가격구성비율(거래시점)

1. 토지가격 구성비율

2. 건물가격 구성비율

Ⅲ 요인비교치

1. 토지요인 비교치

시점수정(지가변동률) × 지역요인 × 개별요인

2. 건물요인 비교치

시점수정(건축비지수 등) × 개별요인(잔가율포함)

Ⅳ 일체 비준가액

거래가격(원/㎡) × 사정보정 × (토지가격 구성비 × 토지요인 비교치 +
건물가격 구성비 × 건물요인 비교치) × 일체품등비교 ≒ 비준가액(원/㎡)

일괄비교방법

I 거래사례 선택

본건과 용도지역, 건물의 용도, 사용승인일, 규모가 유사한 거래사례 선택

II 시점수정치

자본수익률(오피스, 매장용건물 등) 또는 그 밖의 시점수정자료

III 가치형성요인 비교

해당 부동산의 용도에 따른 가치형성요인 비교(물류창고, 업무시설, 숙박시설 등)

IV 일체 비준가액

거래가격(원/건물㎡) × 사정보정 × 시점수정 × 가치형성요인비교 ≒ 비준가액(원/건물㎡)

11 회귀분석법

I 변수의 설정

독립변수, 종속변수

II 사례의 선택

통계적으로 무의미한 사례 배제

III 회귀식 분석

$y = ax + b$

($R^2 = $ ** %로 유의하다.)

IV 평가액 결정

12 대쌍비교법

I 처리방침

II 시점수정치 및 시점수정 후 사례가격

1. 시점수정치

(1) 사례선정

(2) 시점수정치

2. 시점수정 후 사례가격

III A요인의 비교치 산정

1. 사례선정 : (A요인을 제외한 다른 요인이 대등한 사례의 쌍(Pair)을 선정)

2. 비교치 산정

IV B요인의 비교치 산정

1. 사례선정 : (B요인을 제외한 다른 요인이 대등한 사례의 쌍(Pair)을 선정)

2. 비교치 산정

V C요인의 비교치 산정

1. 사례선정 : (C요인을 제외한 다른 요인이 대등한 사례의 쌍(Pair)을 선정)

2. 비교치 산정

VI 사례수정 및 시산가치 조정

13 수익환원법[직접환원법]

I 의의

단일기간의 순수익을 적절한 환원율로 환원하여 대상물건의 가액을 산정하는 방법(실무기준)

순수익의 산정(대상물건에 귀속하는 적절한 수익으로서 유효총수익에서 운영경비를 공제하여 산정, 실무기준)

1. 가능총수익 산정

본건의 임대차내역 기준(직접법)

임대사례 및 임대료수준 참작(간접법)

2. 유효총수익 산정

유효총수익 = 가능총수익 × (1 - 표준적 공실률)

3. 운영경비 산정

본건의 경비내역 참조(직접법), 영업경비비율(간접법)

유효총수입 대비 일정비율, 관리비수입 대비 일정비율

4. 순수익 결정

유효총수익 - 운영경비 = 순수익

II 환원이율의 결정

1. 시장추출법(원칙) = 사례NOI ÷ 거래가격

2. 요소구성법 = 무위험률 + 위험할증률

3. 투자결합법 : 물리적투자결합법, 금융적투자결합법(Ross, Kazdin)

4. 엘우드법 : $R = y - L/V \times (y + p \times SFF - MC) \pm \triangle \times SFF$

5. 부채감당법 : $R = DCR \times LTV \times MC$

6. 결정

III 수익가액 결정

순수익 ÷ 환원이율 = 수익가액

14 수익환원법(DCF, NOI)

I 의의

대상물건의 보유기간에 발생하는 복수기간의 순수익과 보유기간 말의 복귀가액에 적절한 할인율을 적용하여 현재가치로 할인한 후 더하여 대상물건의 가액을 산정하는 방법(실무기준)

순수익 결정

직접환원법과 동일

II 보유기간 중 순수익 현가합

1. 순수익이 정률성장하는 경우

$$정률성장\ 현금흐름의\ 현재가치\ 합\ =\ 1기\ NOI\ \times\ \frac{1-(\frac{1+g}{1+y})^{n}}{y-g}$$

2. 순수익이 불규칙성장하는 경우

매기 현금흐름의 현가(Cashflow table을 통하여 산정)

III 기말복귀가치 현가

1. 기말복귀가치

(보유기간 후 순수익 ÷ 기출환원이율) × (1 − 매도경비율)

2. 현가

IV 수익가액

보유기간 중 순수익의 현재가치합 + 기말복귀가치 현가
= 수익가액

15 **수익환원법**(DCF, BTCF)

I 매기 BTCF 현가합

1. **1기 순수익 결정**
2. **저당서비스액(DS) 결정**
3. 1기 BTCF : NOI – DS
4. **매기 BTCF 현가합**

기간	1	2	3	4	5
NOI	xxx				xxx
(DS)	(xxx)				(xxx)
BTCF	xxx				xxx

현가합(세전지분할인율 %) :

II 기말지분복귀가치

1. **기말복귀가치**
   (보유기간 후 순수익 ÷ 기출환원이율) × (1 – 매도경비율)
2. **저당잔액**
3. **기말지분복귀가치**
   기말복귀가치 – 저당잔액

III 부동산가치 결정

1. **저당가치**
2. **지분가치**
   매기 BTCF 현가합 + 기말지분복귀가치 현가
3. **부동산가치**
   지분가치 + 저당가치

16 수익환원법(DCF, ATCF)

Ⅰ 처리방침

Ⅱ 매기 ATCF 산정

1. 현금흐름의 추정

(1) 1기의 NOI

(2) 감가상각비

(3) DS : $L \times MC$

(4) 1기의 원금상환분

$L \times (MC - i)$ (매기 저당이자율로 복리상승)

2. 매기 ATCF(DCF Table)

기간	1	2	3	4	5
NOI	×××				×××
(DS)	(×××)				(×××)
BTCF	×××				×××
(TAX)	(×××)				(×××)
ATCF	×××	×××	×××	×××	×××
원금상환금	×××				×××
(감가상각비)	(×××)				(×××)

현가합(세후지분할인율 %) :

3. 세후 기말지분복귀액

(1) 기말복귀가치 : (6기 NOI ÷ 기출 R) × (1 − 매도경비율)

(2) 미상환저당잔금 : 대출금액(L) × [1 − 상환비율(p)]

(3) 자본이득세 : (기말복귀가치 − 매각시점장부가치) × 양도소득
세율

(4) 기말복귀액 : [(1) − (2) − (3)]

4. 지분가치

Ⅲ 부동산의 가치

1. 지분가치

매기 ATCF 현가합 + 세후기말지분복귀가치 현가

2. 저당가치

3. 부동산 가치

지분가치 + 저당가치

17 토지잔여법

Ⅰ 순수익 결정

1. 유효총수익

2. 운영경비

3. (상각전/후) 순수익 결정

(1) 운영경비에 김가상각비 미포함 시 : 상각전 순수익

(2) 운영경비에 감가상각비 포함 시 : 상각후 순수익

Ⅱ 토지귀속순수익 결정

1. 건물의 가격

2. 건물귀속순수익

건물의 가격 × 건물(상각전/상각후)환원이율
= 건물귀속(상각전/상각후)순수익

3. 토지귀속순수익

(상각전/상각후) 순수익 − 건물귀속(상각전/상각후)순수익
= 토지귀속순수익(원/㎡)

Ⅲ 토지의 수익가치

토지귀속순수익 ÷ 토지환원이율 = 토지의 수익가치(원/㎡)

18 건물잔여법

Ⅰ 순수익 결정

1. 유효총수익

2. 운영경비

3. (상각전/후) 순수익 결정

    (1) 운영경비에 감가상각비 미포함 시 : 상각전 순수익

    (2) 운영경비에 감가상각비 포함 시 : 상각후 순수익

Ⅱ 건물귀속순수익 결정

1. 토지의 가격

2. 토지귀속순수익

    토지의 가격 × 토지환원이율 = 토지귀속순수익

3. 건물귀속순수익

    (상각전/상각후) 순수익 − 토지귀속순수익

    = 건물귀속(상각전/상각후)순수익(원/㎡)

Ⅲ 건물의 수익가치

    건물귀속(상각전/상각후)순수익 ÷ 건물(상각전/상각후)환원이율

    = 건물의 수익가치(원/㎡)

19 부동산잔여법

I 순수익 결정

1. 유효총수익

2. 운영경비

3. 순수익 결정 : 유효총수익 − 운영경비

II 복합부동산 가치

1. **건물잔존내용연수 중 순수익 현가합**

   순수익은 건물잔존기간 중 불변을 가정

2. **기말토지복귀가치**

   기말토지가치는 불변을 가정

3. **복합부동산의 가치**

20 | 임대사례비교법

Ⅰ 평가개요

「감정평가에 관한 규칙」 제22조 임대사례비교법 원칙

의의 : 대상물건과 가치형성요인이 같거나 비슷한 물건의 임대사례와 비교하여 대상물건의 현황에 맞게 사정보정, 시점수정, 가치형성요인 비교 등의 과정을 거쳐 대상물건의 임대료를 산정하는 감정평가방법(감칙 제2조)

Ⅱ 임대사례의 선정

1. 임대사례 선정기준

위치적·물적 유사성, 시점수정가능, 사정보정가능, 계약내용 유사 (실무기준)

2. 임대사례의 선정

3. 임대사례의 실질임료

보증금부 월세의 경우 전월세 전환율(혹은 보증금 운용이율)을 통하여 실질임대료로 변환(전유면적 또는 임대면적(㎡)당 실질임대료)

Ⅲ 비준임대료의 결정

사례의 실질임대료(원/전유 또는 임대㎡) × 사정보정 × 시점수정 (임대료지수, 생산자물가지수 등) × 지역요인 비교 × 개별요인 비교 ≒ 비준임대료(원/전유 또는 임대㎡)

21 | 적산법

I 평가개요

「감정평가에 관한 규칙」 제22조 임대사례비교법 원칙. 단, 인근에 적정 임대사례 없어 적산법 적용

의의 : 기초가액에 기대이율을 곱한 기대수익에 대상물건을 계속하여 임대하는데 필요한 경비를 더하여 임대료를 산정하는 방법(감칙 제2조)

II 기초가액의 결정(적산법평가의 기초가 되는 대상물건의 가치, 실무기준)

1. 복합부동산 : 토지(공시지가기준법, 거래사례비교법), 건물(원가법)
2. 구분건물(거래사례비교법, 원가법)

※ 순환논리 모순으로 인하여 수익환원법은 적용하지 않는다.

III 기대이율의 결정(기초가액에 대하여 기대되는 임대수익의 비율, 실무기준)

1. 실무적 적산법(대부분)

   지역 및 대상물건 특성을 반영하되 기대이율 적용기준율표 등을 참고하여 실현가능한 율로 정함

2. 이론적 적산법

   시장추출법, 요소구성법, 투자결합법, CAPM활용, 대체경쟁자산 수익률 고려 등

   유형별, 이용상황별 기대이율표 활용

   기타 문제에서 제시되는 기대이율 활용

Ⅳ 필요제경비(임차인이 사용 · 수익할 수 있도록 **임대인이** 대상물건을 적절하게 유지 · 관리하는 데에 필요한 비용, 실무기준)

감가상각비, 유지관리비, 조세공과금, 손해보험료, 대손준비금, 공실손실상당액, 정상운영자금이자(실무기준)

Ⅴ 적산임대료

기초가액 × 기대이율 + 필요제경비 = 적산임대료

22 수익분석법

I 평가개요

「감정평가에 관한 규칙」 제22조 임대사례비교법 원칙. 단, 인근에 적정 임대사례가 없으며, 기초가액 산정의 어려움 등으로 인하여 수익분석법을 기준함.

의의 : 일반기업 경영에 의하여 산출된 총수익을 분석하여 대상물건이 일정한 기가에 산출한 것으로 기대되는 순수익에 대싱물건을 세속하여 임대하는 데 필요한 경비를 더하여 대상물건의 임대료를 산정하는 감정평가방법(감칙 제2조)

II 수익순임대료의 결정

1. 매출액 추정

해당 시설물의 임대 후 운용에 따른 사업수입

2. 운영경비 등 추정

사업수입의 창출을 위하여 소요되는 경비(적정이윤 포함)

3. 순수익(수익순임대료) 결정

매출액 – 운영경비

III 필요제경비

IV 수익임대료의 결정

수익순임대료 + 필요제경비 = 수익임대료

23 임대차평가

Ⅰ 임대권의 가치

1. 계약임대료의 현재가치 합

2. 기말복귀가치의 현재가치 합

Ⅱ 임차권(전대권)의 가치

1. 귀속임대료의 현가합

임차권 : (시장임대료 − 계약임대료) × PVAF

전대권 : (전대차임대료 − 계약임대료) × PVAF

2. 임차자 개량물의 가치

Ⅲ 전차권의 가치

1. 귀속임대료의 현가합

(시장임대료 − 전차임대료) × PVAF

2. 전차자 개량물의 가치

24 구분소유권의 감정평가

I 평가개요

「감정평가에 관한 규칙」 제16조 거래사례비교법 기준

구분소유 부동산 : 집합건물법에 따라 구분소유권의 대상이 되는 건물 부분과 그 대지사용권(실무기준)

II 거래사례비교법

1. 거래사례의 선정

이용상황, 건물의 사용승인일, 규모 등이 유사한 거래사례 선정 (단위 전유면적(㎡)당 거래가격)

2. 시점수정치

(1) 주거용 : 유형별 주택매매가격지수

(2) 비주거용 : 자본수익률(매장용, 오피스), 생산자물가지수 등

3. 가치형성요인 비교치

(1) 단지외부요인

(2) 단지내부요인

(3) 개별적 요인

(4) 가치형성요인 비교치 : $(1) \times (2) \times (3)$

4. 비준가액

거래가격(원/전유㎡) × 사정보정 × 시점수정 × 가치형성요인비교
≒ 비준가액(원/전유㎡)(× 본건 전유면적 ≒ 비준가액)

III 원가법

1. 전체 토지·건물가치

2. 층별·위치별 효용비율(배분율)

3. 적산가액

Ⅳ 수익환원법

　1. 순수익

　2. 환원이율 또는 할인율
　　DCM 또는 DCF 활용함

Ⅴ 감정평가액 결정

25 구분지상권의 감정평가

I 처리방침

II 나지상정 토지가격

III 입체이용저해율 산정

1. 기본적 사항의 확정

※ 나지·건부지인지 확정 → 노후율(최유효이용 유사 시) 고려

※ 고·중·저층 시가지 → 이용률과 한계심도 결정

2. 건물 등 이용저해율

※ 최유효이용 : 법적, 물리적 측면 검토

※ 건축가능층수

3. 지하이용저해율

4. 그 밖의 이용저해율

※ 상하배분치 고려한 최고치 적용

5. 계 : 건물 등 이용저해율 + 지하이용저해율 + 그 밖의 이용저해율

IV 구분지상권 평가액

1. 영구적 사용의 경우

토지가치 × 입체이용저해율 = 구분지상권가치

2. 한시적 사용의 경우

(토지가치 × 기대이율 + 필요제경비) × 입체이용저해율

= 연간사용료

26 지상권이 설정된 토지평가

I 처리방침

II 나지상정 토지가격

1. 공시지가기준법

2. 거래사례기준법

III 지상권의 감정평가액

토지보상법 시행규칙 제28조 준용

1. 거래사례비교법에 의한 지상권 평가액

적정한 거래사례가 존재하는 경우

2. 그 밖의 평가방법에 의한 지상권 평가액

(1) 권리설정계약을 기준으로 하는 방법

(2) 귀속임대료의 현재가치를 기준하는 방법

(3) 그 밖의 적정한 감정평가방법

IV 대상토지가격

토지가격 − 지상권가치 = 지상권이 설정된 토지가치

27 광천지의 감정평가

Ⅰ 평가개요

Ⅱ 공시지가기준법

인근지역 혹은 유사지역의 광천지 표준지를 선정하여 평가한다.

Ⅲ 거래사례비교법

광천지만의 거래사례(혹은 광천지만의 가격 배분가능한 거래사례)를 기준으로 평가한다.

Ⅳ 원가법

투입비용의 현재가치 : 굴착비, 그라우팅비, 펌프, 모터 등 비용

Ⅴ 혼합법

1. **표준광천지 기준 개발비(원/㎡)**

2. **광천지지수**

    (1) 표준광천지 수익가액(원/㎡)

    (2) 표준광천지 기준 개발비(원/㎡)

    (3) 광천지지수

3. **용출량지수 보정**

    (1) 표준광천지 용출량지수

    (2) 대상광천지 용출량지수

Ⅵ 평가액 결정

공시지가기준가액 기준

28 과수원의 감정평가

Ⅰ 평가개요

「감정평가에 관한 규칙」 제18조 거래사례비교법 적용 기준

과수원부지와 과수목의 일괄평가 원칙

(과수원부지와 과수목을 별도로 평가할 수 있음. 과수목은 평가목적에 따라 평가 외하는 경우도 많을 것)

과수원이란 집단적으로 재배하는 사과·배·밤·호두·귤나무 등 과수류 및 그 토지와 이에 접속된 저장고 등 부속시설물의 부지(주거용 건물이 있는 부지는 제외)를 말한다(실무기준).

Ⅱ 거래사례비교법

인근지역의 과수원(본건 유사)의 거래사례를 기준으로 평가

Ⅲ 개별평가

1. 과수원부지의 평가액

(1) 공시지가기준법

인근지역의 과수원(혹은 농지) 비교표준지 기준

(2) 거래사례비교법

인근지역의 과수원부지(과수원 거래사례에서 과수목 등 가격배분)의 거래사례를 기준

2. 과수의 평가액

인근에 시세가 존재하는 경우 시세기준 평가

시세가 존재하지 않는 경우 어린 나무의 경우 원가법, 성숙목의 경우 수익환원법 등으로 평가

29 입목의 감정평가

시장가 역산법

Ⅰ 평가개요

산식 기재

Ⅱ 원목의 시장가격

Ⅲ 적용이율

자본회수기간, 월이율, 기업자이윤 등 고려

Ⅳ 생산비용

Ⅴ 입목의 평가액

글라저 근사법

Ⅰ 평가개요

산식 기재

Ⅱ 표준 벌기가액

Ⅲ 최초 연도 비용

Ⅳ 입목의 평가액

30 | 골프장의 감정평가

I 평가개요

등록면적기준 일단지평가

II 개별평가

1. 토지의 평가액

(1) 공시지가기준법

골프장 표준지(본건이 표준지임)를 기준으로 평가

(2) 거래사례비교법

인근의 골프장부지만의 거래사례(혹은 골프장 거래가에서 배분된 단가)를 기준으로 평가

(3) 조성원가법

소지가치에 인허가비용과 조성비용(본건비용, 조성사례비용 병용)을 가산한 금액

(4) 토지평가액 결정

2. 건물의 평가액

원가법으로 평가

III 거래사례비교법

1. 거래사례 선택

본건과 유사한 유형(회원제, 대중제), 규모, 위치 등을 고려하여 선택

2. 비준가액

거래가격(원/홀, 원/㎡) × 사정보정 × 시점수정 × 가치형성요인 비교 ≒ 비준가액(원/홀, 원/㎡)

Ⅳ 수익환원법

골프장으로서의 영업이익을 기준으로 직접환원법 혹은 할인현금수지
분석법

Ⅴ 평가액 결정

31 | 기계기구의 감정평가

I 처리방침

감칙 제20조·제26조, 실무기준에 의거 원가법 원칙

II 도입기계평가

1. 재조달원가

(1) 도입가격

CIF기준(= FOB + 현행운임 + 현행보험료)

기준시점 당시 원산지환율 대 원화 - 1년간 기준환율

or 재정환율 평균치

(2) 부대비용

1) 설치비

※ 자주식 제외, 기계만의 평가 시 제외(단 사업체 의뢰 시 고려)

2) 관세

※ 현행 관세율 적용

※ CIF기준가 × 관세율 × (1 - 현행 감면율)

3) 농특세

※ CIF기준가 × 관세율 × 감면율 × 0.2

4) L/C 등 부대비용

(3) 재조달원가

2. 적산가격 : $C \times r^n$ 정률법 감가 원칙(실무기준)

※ 감가수정기준일 - 수입신고일기준

III 국산기계평가

$C \times r^n$

32 | 공장(재단)의 감정평가

Ⅰ 처리방침

「감정평가에 관한 규칙」 제19조 개별평가 원칙

Ⅱ 물건별 평가액

1. 유형고정자산

(1) 과잉유휴토지(시설) 판정 및 그 처리방법

(2) 토지

(3) 건물

(4) 기계

   1) 도입기계

   2) 국산기계

   3) 계

(5) 계

2. 무형고정자산

(1) 영업권(감정평가에 관한 규칙 제23조)

(2) 기타무형고정자산(감정평가에 관한 규칙 제23조)

(3) 계

3. 물건별 평가액

Ⅲ 일체수익가격

1. **대상 공장의 수익**(순수익, 기업잉여현금흐름 등)

2. **대상 공장의 할인율**(환원이율)

3. **공장의 수익가액**

Ⅳ 공장평가액

1. **공장부분의 평가액**

2. **과잉유휴부분의 평가액**
   토지, 건물 및 기계기구
   전용가능 시 전용가치－전용비용
   전용불가 시 해체처분가액

33 광업권의 감정평가(일반)

I 처리방침

「감정평가에 관한 규칙」 제23조 의거 "감칙 제19조에 따른 광업재단 평가액 − 현존시설가액"

II 광산평가액

1. 상각 전 순수익

※ 사업수익 − 소요경비

2. 가행연수의 산정(n)

※ 예상 추정량 ÷ 연간 채광량 ≒ 가행연수(절사)

3. 각종 이율의 산정

(1) 세전배당이율(S) = 배당률 ÷ (1 − 세율)

(2) 축적이율(i) : 정기예금금리

4. 장래소요기업비현가(E)

5. 광산평가액

$$\frac{상각\ 전\ 순수익}{세전배당이율(S)+\dfrac{i}{(1+i)^n-1}} - \text{E}$$

III 광업권평가액

1. 광산평가액

2. 유형고정자산평가액

적정생산규모, 가행연수 고려, 과잉유휴시설 배제(감칙 제23조)

3. 광업권평가액

34 어업권의 감정평가(일반)

I 처리방침

「감정평가에 관한 규칙」 제23조

II 어장평가액

1. 상각전 순수익

※ 사업수익 − 소요경비

2. 장래소요기업비현가(E)

3. 어장평가액(r = 상각후 환원이율)

$$\frac{상각전\,순수익}{r + \dfrac{r}{(1+r)^n - 1}} - E$$

III 어업권평가액

1. 어장평가액

2. 유형고정자산평가액

3. 어업권평가액

35 영업권의 감정평가

Ⅰ 처리방침

「감정평가에 관한 규칙」 제23조 수익환원법 기준
영업권이란 경영상의 유리한 관계 등 배**타적 영리기회**를 보유하여 같은
업종의 다른 기업들에 비하여 초**과수익**을 확보할 수 있는 능력으로서
경**제적 가치**가 있다고 인정되는 권리

Ⅱ 수익환원법

1. 방법 #1 기준 (영업 관련 기업가치 – 투하자본)

(1) 기업가치의 결정

수익환원법 기준(FCFF / WACC)

(2) 투하자본가치

① 영업자산 – 영업부채

② 순자산가치 + 이자지급부부채

(3) 영업권 가치

2. 방법 #2 기준 (초과영업이익 × PVAF)

(1) 대상 기업의 영업이익 결정

매출액 – 매출원가 – 판관비

(2) 정상영업이익의 결정

1) 대상 기업의 영업관련 자산가치

2) 정상영업이익률 결정

유사한 업종의 업장과 비교

3) 정상영업이익 결정

(3) 초과수익 결정

(4) 영업권 가치

Ⅲ 거래사례비교법

1. 처리방침

2. 대상 기업의 시가총액 : 주식가치 × 발행주식수

3. 영업권을 제외한 순자산가치

영업권을 제외한 총자산가치 - 부채가치

4. 영업권가치의 결정

시가총액 - 영업권을 제외한 순자산가치

36 특허권(지식재산권)의 감정평가

기술기여도 고려 방법

I 평가개요

1. 「감정평가에 관한 규칙」 제23조, 수익환원법 기준

2. 경제적 잔여 수명 결정

II 추정기간 중 FCFF 결정

III 할인율(WACC) 결정

IV 기술기여도 결정(기업의 경제적 이익 창출에 기여한 유·무형의 기업 자산 중에서 해당 지식재산권이 차지하는 상대적인 비율, 실무기준)

1. 산업기술요소

2. 개별기술강도

3. 기술기여도

산업기술요소 × 개별기술강도 = 기술기여도

V 특허권 가치 결정

FCFF 현가합 × 기술기여도

현금흐름기준 방법

Ⅰ 평가개요

1. 「감정평가에 관한 규칙」 제23조, 수익환원법 기준

2. 경제적 잔여 수명 결정

Ⅱ 지식재산권 귀속 현금흐름

총매출 혹은 영업이익 × 로열티율(%) × (1 − 세율)

Ⅲ 할인율(WACC) 결정

Ⅳ 특허권 가치 결정

지식재산권 귀속 현금흐름 × 현재가치(WACC, 잔여수명)

37 기업가치의 감정평가

수익환원법 기준

Ⅰ 평가개요

「감정평가에 관한 규칙」 제24조

수익환원법 기준

의의 : 해당 기업체가 보유하고 있는 유·무형의 자산 가치를 말하며, 자기자본가치와 타인자본가치로 구성된다(실무기준).

Ⅱ FCFF의 추정

1. FCFF 산식

2. 고속성장기 중 FCFF

3. 안정성장기 FCFF

Ⅲ WACC 결정

1. 고속성장기 WACC

    (1) 자기자본비용 : CAPM + 위험가산율

    (2) 타인자본비용 : 이자율 × (1 − 세율)

    (3) 가중평균자본비용 : 해당 기업의 장기평균 자본비중으로 가중 평균

2. 안정성장기 WACC

Ⅳ 기업가치 결정

거래사례비교법

Ⅰ 평가개요

「감정평가에 관한 규칙」 제24조

수익환원법 원칙, 적용불가능한 이유, 거래사례비교법 적용 사유

Ⅱ 유사한 기업의 시장배수분석

1. 유사기업의 선정

2. 시장배수의 분석

3. 적용시장배수

Ⅲ 기업가치의 결정

1. 본건 기업의 자기자본가치

2. 부채가치

3. 기업가치 결정

38 비상장주식의 감정평가

수정재무상태표를 작성하는 방법

I 평가개요

「감정평가에 관한 규칙」 제24조 "(기업가치 − 부채가치)/발행주식수"
의의 : 주권비상장법인의 주권(실무기준)

II 수정재무상태표 작성

1. 토지, 건물 등의 감정평가

2. 수정재무상태표 작성

III 순자산가치 결정

자산총액 − 부채총계

IV 비상장주식의 평가액

1. 자기자본가치

2. 비상장주식 평가액

자기자본가치 ÷ 발행주식수

수익환원법에 의한 기업가치에 의한 방법

I 평가개요

「감정평가에 관한 규칙」제24조

II 기업가치의 결정

1. **처리방침** : 수익환원법 기준

2. **기업가치의 결정**(기업가치 평가방법 준용)

III 순자산가치

순자산가치 = 수익환원법에 의한 기업가치 − 금융부채(이자지급부
부채)

IV 비상장주식의 평가액

1. **순자산가치**

2. **비상장주식 평가액**

    자기자본가치 ÷ 발행주식수

39 선박의 감정평가

I 평가개요

「감정평가에 관한 규칙」 제20조 제3항 선체·기관·의장별 구분평가,
각각 원가법 적용 원칙

II 원가법

1. 선체

GT당 재조달원가를 기준으로 정률법으로 감가수정

2. 기관

HP당 재조달원가를 기준으로 정률법으로 감가수정

3. 의장품

평가목적에 따라 평가외 될 수 있다.

III 거래사례비교법

1. 거래사례 선정

거래사례 선정(방매사례 검토 가능)
본건과 같거나 유사한 선종(船種), 규모 등을 고려하여 설정
해운경기에 가격변동이 민감하기 때문에 사례 선택 시 고려

2. 비준가액

GT당 가격을 기준으로 보정

IV 평가액 결정

40 | 권리금의 감정평가

Ⅰ 평가개요

기준시점 : 상가임대차보호법상 임대차기간 종료일

유형자산은 원가법, 무형자산은 수익환원법으로 개별평가 원칙

의의 : 임대차목적물인 상가건물에서 영업을 하는 자 또는 영업을 하려는 자가 영업시설, 비품, 거래처, 신용, 노하우, 상가건물의 위치에 따른 영업상의 이점 등 유무형의 재산적 가치의 양도 또는 이용대가로서 보증금과 차임 이외에 지급하는 금전 등의 대가

Ⅱ 유형자산 평가액

원가법 기준, 일부 중고품 가격수준 존재 시 참작 가능

Ⅲ 무형자산 평가액

1. 수익환원법에 의한 가액

(1) 임대기간 중 영업이익(수정 후 영업이익)

자가노력비, 감가비 경비에 포함

(2) 무형자산 귀속영업이익

무형자산 귀속비율 추정

(3) 할인율 결정

(4) 무형자산의 평가액

2. 거래사례비교법에 의한 가액

(1) 거래사례 선택

유사업종, 입지, 영업조건 등 고려하여 무형자산의 거래사례 선택

(2) 비준가액

3. 평가액 결정

수익환원법 기준

41 소음 등으로 인한 가치하락분의 감정평가

Ⅰ 평가개요

「감정평가에 관한 규칙」 제25조 및 실무기준

의의 : 소음 등의 발생 전과 비교한 대상물건의 객관적 가치하락분(실무기준)

일시적·주관적 가치하락 제외(실무기준)

Ⅱ 오염 전 부동산가치

1. 비준가액

오염 전 거래사례 선택

2. 수익가액

오염 전 수익 및 할인율(환원율) 기초

Ⅲ 오염 후 부동산가치

1. 비준가액

오염 후 거래사례 선택

2. 수익가액

오염 후 수익 및 할인율(환원율) 기초

Ⅳ 가치하락분

오염 전 부동산가치 - 오염 후 부동산가치

42 투자의사결정

I 평가개요

「감정평가에 관한 규칙」제27조

II 현금유출의 현재가치

매수금액 혹은 지분투자금액

III 현금유입의 현재가치

순영업소득(해당 부동산의 현금흐름 고려) 혹은 지분현금흐름(순영업소득 − 저당지불액)

IV 타당성 분석 및 의견 제시

1. NPV법, IRR법 등

2. 의견 제시

43 매후환대차의 의사결정

Ⅰ 평가개요

「감정평가에 관한 규칙」 제27조

Ⅱ 계속 보유할 경우

1. 보유기간 중 김가상각비로 인한 절세액 현가

2. 세후 복귀가치현가

(1) 기말매각가치

(2) 기말의 자본이득세

(3) 세후 복귀가치현가

3. 순현금흐름

Ⅲ 매후환대차할 경우

1. 현 시점의 세후 매각금액

(1) 매각금액

(2) 자본이득세

(3) 세후 매각금액

2. 임대기간 중 세후임대료현가

3. 순현금흐름

Ⅳ 매후환대차의 타당성 분석

44 토지의 최유효이용 분석

I 평가개요

「감정평가에 관한 규칙」 제27조

II 선정 가능한 대안 분석

합법적, 합리적, 물리적 선정 가능한 대안 분석
선정 불가 대안은 근거 적시

III 경제적 가치를 극대화시키는 방안

1. 대안 A

대안 A에 따른 복합부동산 가치 – 건축비 및 개발비

2. 대안 B

대안 B에 따른 복합부동산 가치 – 건축비 및 개발비

3. 대안 C

대안 C에 따른 복합부동산 가치 – 건축비 및 개발비

4. 경제적 가치 극대화 방안

IV 최유효이용 시 토지의 평가액

45 개량물의 최유효이용 분석

Ⅰ 평가개요

「감정평가에 관한 규칙」 제27조

Ⅱ 선정 가능한 대안 분석

합법적, 합리적, 물리적 선정 가능한 대안 분석

선정 불가 대안은 근거 적시

Ⅲ 경제적 가치를 극대화시키는 방안

1. 대안 A

개량 후 대안 A에 따른 복합부동산 가치 − 개량비(자본적 지출)

2. 대안 B

개량 후 대안 B에 따른 복합부동산 가치 − 개량비(자본적 지출)

3. 대안 C

개량 후 대안 C에 따른 복합부동산 가치 − 개량비(자본적 지출)

4. 경제적 가치 극대화 방안

Ⅳ 최유효이용 시 개량물의 평가액

46 복합부동산의 최유효이용 분석 – 지상건물의 철거타당성

Ⅰ 평가개요

Ⅱ 현상태로서의 부동산가치(최유효이용 미달된 복합부동산가치)

1. 개별평가

나지상태의 토지가치 (– 건부감가) + 건물가치

2. 거래사례비교법

본건과 품등조건이 유사한 사례기준가격

3. 수익환원법

본건의 순수익 ÷ 조정된 환원이율(혹은 할인현금수지분석법)

Ⅲ 지상건물 철거 시의 토지가치(나지상태 토지가치 – 철거비)

1. 나지상태 토지가치

(1) 공시지가기준법

(2) 거래사례비교법

최유효이용의 거래사례

(3) 수익환원법(토지잔여법)

최유효이용 상정 순수익

(4) 토지의 평가액

2. 철거비를 고려한 토지가액

나지상태 토지평가액 – 철거비

Ⅳ 지상건물의 철거타당성 검토

현상태 가액 > (나지상태 토지가치 – 철거비) : 현상태 유지(중도적 이용)

현상태 가액 < (나지상태 토지가치 – 철거비) : 철거 타당함(새로운 개발)

47 담보목적 감정평가

I 평가개요

의의 : 금융기관 등이 대출을 하거나 채무자가 대출을 받기 위하여 의뢰하는 담보물건에 대한 감정평가(실무기준)

II 제시외 건물에 대한 처리방법

III 그 밖의 담보평가 시 유의사항

48 경매목적 감정평가

Ⅰ 평가개요

의의 : 경매집행법원이 경매대상물건의 최저매각가격을 결정하기 위해
의뢰하는 감정평가(실무기준)

Ⅱ 제시외 건물에 대한 처리방법

Ⅲ 그 밖의 경매평가 시 유의사항

49 | 국·공유재산의 감정평가

I 평가개요

국유재산 : 「국유재산법」 제44조 시가(時價)평가
공유재산 : 「공유재산법」 제30조 시가(時價)평가

II 감정평가목적의 확정

시가(時價)평가 원칙
예외적으로 보상감정평가

III 인접 토지소유자 수의계약 매각시 기여도의 고려

매입에 따른 일단의 기여도를 고려하여 평가할 수 있음.

IV 개량비에 대한 처리

「공유재산법 시행령」 제28조

50 도시정비평가 - 종전자산평가

Ⅰ 평가개요

「도시정비법」 제74조

기준시점 : 사업시행인가고시일

조합원 간 가격균형 유지하여 평가(실무기준)

1. 적용공시지가 : 사업시행인가고시일 이전 최근 공시지가

2. 비교표준지 선정

해당 사업으로 인한 용도지역 변경은 반영하지 않음.

3. 그 밖의 요인비교치 결정

관리처분목적의 종전자산 평가선례 및 거래사례 기준

(평가목적을 고려하여 선정)

4. 평가액 결정

Ⅱ 건물의 평가액

1. 처리방침

신발생무허가건축물, 특정무허가건축물 구분 : 89.1.24. 기준

2. 평가액

원가법에 의하여 평가

Ⅲ 구분건물의 평가액

1. 처리방침 :「감정평가에 관한 규칙」제16조 거래사례비교법

2. 거래사례 선정

본건과 유사성(대지권 면적, 위치, 크기(전유면적), 건물의 신축연도

등 고려)을 기준하되, 평가목적을 고려하여 선정

3. 비준가액

51 도시정비평가 - 종후자산평가

Ⅰ 평가개요

도정법 제74조

기준시점 : 분양신청기간 만료일 또는 의뢰인 제시일

Ⅱ 거래사례비교법에 의한 평가액

기준세대의 기준단가 결정

Ⅲ 정비사업비 추산액을 통한 검토(원가법)

Ⅳ 기준세대의 기준단가 결정

층·호별 효용비에 의하여 각 세대별 배분

52 도시정비평가 – 재건축 매도청구에 따른 감정평가

I 평가개요

도정법 제64조

기준시점 : 매매계약체결 의제일

재건축사업으로 인하여 발생되는 개발이익이 포함된 시가기준

기준시점에 현실화·구체화되지 아니한 개발이익이나 조합원의 비용부

담을 전제로 한 개발이익은 배제(실무기준)

II 평가액

| 53 | **도시정비평가 - 무상양수도평가** |

Ⅰ 평가개요

「도시정비법」 제97조

기준시점 : 사업시행인가고시(예정)일

Ⅱ 용도가 폐지되는 정비기반시설의 평가

1. 비교표준지 선정

해당 사업으로 인한 용도지역 변경은 배제

해당 사업으로 인한 도시계획시설 지정은 구애됨 없이 평가

종전의 용도는 폐지된 바 인근의 대지수준으로 평가

2. 평가액 결정

Ⅲ 새로이 설치되는 정비기반시설의 평가

1. 비교표준지 선정

해당 사업으로 인한 도시계획시설은 구애됨 없이 평가

2. 평가액 결정

54 도시정비평가 - 현금청산평가(재개발)

I 평가개요

「도시정비법」 제73조에 따라 현금청산

「도시정비법」 제63조, 제65조에 의하여 토지보상법 준용

기준시점 : 의뢰된 날짜기준(협의예정일)

II 토지의 평가액(공시지가기준법)

1. 적용공시지가

사업시행인가고시일 이전 최근 공시지가

2. 비교표준지 선정

해당 사업으로 인한 용도지역 변경은 반영하지 않음

3. 그 밖의 요인비교치 결정

보상평가선례 및 실거래사례 기준

(해당 사업으로 인한 영향 없는 사례)

4. 평가액 결정

III 건물의 평가액

1. 처리방침

이전비 기준, 대부분 취득가격(원가법)으로 평가

2. 평가액

55 도시정비평가 – 국공유재산 처분

Ⅰ 평가개요

「도시정비법」 제98조

「국유재산법 시행령」 제42조, 「공유물품 및 관리에 관한 법률 시행령」 제27조(일반재산가격의 평정 등)

기준시점 : 사업시행인가 3년 이내 매각 시(사업시행인가고시일), 3년 이후 매가 시(가격조사완료일)

Ⅱ 토지의 평가액(공시지가기준법)

1. 적용공시지가

(1) 3년 이내 매각의 경우 : 사업시행인가고시일 이전 최근 공시지가

(2) 3년 이후 매각의 경우 : 최근 공시지가

2. 비교표준지 선정

(1) 3년 이내 매각의 경우 : 사업시행인가고시 시점의 시가를 반영할 수 있는 표준지 선정

(2) 3년 이후 매각의 경우 : 현황을 기준으로 한 표준지 선정

3. 평가액 결정

56 보상감정평가 - 토지

I 평가개요

- 본건은 (보상대상 물건)에 대한 (사업시행자)가 시행하는 (사업명)에 대한 (협의/수용재결/이의재결)보상목적의 감정평가
- 사업인정일 : 20××년 ×월 ××일
- 가격시점 : 법 제67조
- 해당 사업 의한 공법상 제한 및 개별제한 미고려(규칙 제23조)
- (도로사업일 경우) 법 제70조 제5항, 영 제38조의2, 영 제37조 제3항 검토 불요

II 적용공시지가 선정

「토지보상법」 제70조 제3항, 제4항, 제5항 적용

III 비교표준지 선정

용도지역·이용상황·주위환경 유사, 지리적 가까운 표준지 선정
(규칙 제22조 제3항)

IV 시점수정치

1. **지가변동률**
2. **생산자물가지수**
3. **결정**

V 지역 및 개별요인 비교치

Ⅵ 그 밖의 요인비교치 결정

1. 평가선례(혹은 거래사례) 선정

2. 격차율 산정

3. 그 밖의 요인보정치 결정

4. 실거래사례 등을 통한 적정성 검토

Ⅶ 보상평가액

표준지공시지가(원/㎡) × 시점수정치 × 지역요인 비교치 × 개별요인 비교치 × 그 밖의 요인비교치 ≒ 토지보상평가액(원/㎡)

57　특수토지 보상감정평가

Ⅰ 무허가건축물부지

「토지보상법 시행규칙」제24조

의의 : 허가나 신고의무가 있음에도 이를 받거나 하지 않고 건축 또는 용도변경한 건축물이 있는 토지

Ⅱ 불법형질변경토지

「토지보상법 시행규칙」제24조

의의 : 허가나 신고의무가 있음에도 이를 받거나 하지 않고 형질변경한 토지

Ⅲ 미지급용지

「토지보상법 시행규칙」제25조

의의 : 종전 시행된 공익사업의 부지로서 보상금이 지급되지 않은 토지

Ⅳ 도로부지 감정평가

「토지보상법 시행규칙」제26조

사도법상 사도 : 인근 토지가액 1/5 이내

사실상 사도 : 인근 토지가액 1/3 이내

(인근 토지 : 도로로 이용되지 아니하였을 경우에 예상되는 표준적인 이용상황의 토지로서 위치상 가까운 토지, 규칙 제26조 제4항)

공도부지 : 인근 표준적 이용상황 기준

예정공도 : 공도부지평가 준용

58 | 소유권 외 권리의 목적이 되는 토지 등

I 「전기사업법」상 공중선로 설치를 위한 감정평가

1. 토지의 적정가격

2. 감가율 산정

입체이용저해율 + 추가보정률

II 「도시철도법」에 의한 지하사용료의 감정평가

1. 토지의 적정가격

2. 입체이용저해율 산정

III 소유권 외의 권리의 목적이 되고 있는 토지(규칙 제29조)

소유권 외의 권리가 없는 상태의 감정평가액

– 소유권 외의 권리에 대한 감정평가액

59 | 잔여지 가치하락 손실보상

Ⅰ 평가개요

「토지보상법」 제73조
「토지보상법 시행규칙」 제32조

Ⅱ 편입전 잔여지가격

1. 일단의 토지가격

(1) 적용공시지가 : 편입된 토지와 동일한 기준

(2) 비교표준지 선정 : 편입된 토지와 동일한 기준

(3) 시점수정치

(4) 지역 및 개별요인 비교치

   해당사업으로 인한 영향 미고려

(5) 그 밖의 요인 보정치

(6) 일단의 토지가격

2. 편입부분의 토지가격

3. 편입전 잔여지가격

일단의 토지가격 – 편입부분의 토지가격

Ⅲ 편입후 잔여지가격

1. 적용공시지가 : 편입된 토지와 동일한 기준
2. 비교표준지 선정 : 편입된 토지와 동일한 기준
3. 시점수정치
4. 지역 및 개별요인 비교치

개별요인 비교 시 : 사업시행이익 상계금지의 원칙(토지보상법 제66조)에 의하여 열세해진 개별요인만 반영한다.

5. 그 밖의 요인비교치
6. 편입후 잔여지가격

Ⅳ 잔여지의 가치하락분

편입전 잔여지가격 − 편입후 잔여지가격

(잔여지가격과 비교하여 매수가능 여부 판단, 법 제73조 제1항 단서)

60 | 개간비의 보상평가

I 평가개요

「토지보상법 시행규칙」 제27조

개간비 보상요건 검토(국공유지, 적법하게 개간, 계속점유 등, 실질적 토지가치 상승)

II 개간 후 토지가격

1. 적용공시지가 선택 및 비교표준지 선정

2. 개간된 토지가격

III 개간비 보상액

1. 개간에 소요되는 통상비용

가격시점에서 개간에 소요되는 통상비용

알 수 없는 경우 : 정형화 비율에 의함.(개간 후 토지가치의 1/3(비도시지역), 1/5(녹지지역), 1/10(주거, 상업, 공업지역))

2. 한도액(상한)

(1) 개간 후 토지가격

(2) 개간 전 토지가격

(3) 한도액 : (1) − (2)

3. 개간비 보상액

IV 개간지 보상액(토지소유자 : 국가, 지방자치단체 등)

개간 후 토지가격 − 개간비 보상액

61 환매금액 산정

I 평가개요

「토지보상법」제91조

환매 당시 토지가격과 "보상금 × 인근 유사토지 지가변동률"을 비교하여 결정(영 제48조)

II 환매 당시 토지가격

1. 적용공시지가 : 최근 기준

2. 비교표준지 선정 : 현재 용도지역 및 이용상황기준

3. 그 밖의 요인비교치

4. 환매 당시 토지가격

III 인근 유사토지 지가변동률

1. 표본지 선정

해당 사업과 무관한 표준지 선정, 해당 사업과 무관한 용도지역 등 변경은 반영

2. 취득 당시 표본지가격

3. 환매 당시 표본지가격

4. 인근 유사 지가변동률

IV 환매금액 결정

1. 환매 당시 적정가격 ≤ 보상금액 × 인근 유사토지 지가변동률
   → 지급한 보상금액

2. 환매 당시 적정가격 > 보상금액 × 인근 유사토지 지가변동률
   → 보상금액 + {환매 당시 평가가격 − 보상금 × (1 + 인근 유사토지 지가변동률)}

62 보상감정평가 - 건축물 등

I 평가개요

이전비 원칙, 예외적 가격으로 보상(법 제75조 제1항)

II 이전비

「토지보상법 시행규칙」 제2조(정의) 제4호
유용성을 동일하게 유지하면서 사업지 밖으로 이전·이설·이식하는
데 필요한 비용
해체비·건축허가비·운반비 포함, 시설개선비 제외

III 해당 물건의 가격(규칙 제33조 제2항)

원가법 원칙
주거용 건축물의 경우 거래사례비교법 적용 가능(사업시행에 따른 가격
상승분 제외). 최저한도액 600만원(규칙 제58조 제1항)
집합건물은 거래사례비교법 적용

IV 보상평가액 결정

63 공작물 평가(규칙 제36조)

- 건축물 평가(규칙 제33조~제35조) 준용
- 경제적 가치 없는 경우, 토지가치에 화체된 경우, 대체시설을 하는
  경우 평가 외

64 건축물의 일부편입에 따른 보상감정평가

Ⅰ 보수하여 사용하는 경우

1. 편입부분의 감정평가액

일반적 건축물보상과 동일

2. 보수비 : 종래 목적대로 사용할 수 있도록 유용성을 동일하게 유지하는 데 통상 필요한 비용, 시설개선비 제외(규칙 제35조)

3. 잔여건축물의 가치감소분

편입 전 잔여건축물가격 – 편입 후 잔여건축물가격(규칙 제35조)

Ⅱ 전체 이전 또는 취득의 경우

1. 전체 이전비

일반적 건축물보상과 동일

2. 전체 취득가격

일반적 건축물보상과 동일

3. 결정

65 과수의 보상감정평가

Ⅰ 평가개요

시행규칙 제37조

수종·규격·수령·수량·식수면적·관리상태·수익성·이식가능성 및 이식의 난이도 그 밖에 가격형성에 관련되는 제 요인을 종합 고려 평가(종규영양식 관리수익 가난)

Ⅱ 이전비

1. 이식비

굴취비, 상하차비, 운반비, 식재비 등

2. 고손액

주당가격 × 고손율(이식부적기인 경우 2배)

3. 감수액

주당수익 × (1 − 고손율) × 2.2

4. 합계 : 이식비 + 고손액 + 감수액

Ⅲ 해당 물건의 가격(나무의 가격)

Ⅳ 보상평가액

이전비와 가격 중 낮은 가격

66 입목의 보상감정평가

Ⅰ 평가개요

시행규칙 제39조

벌기령·수종·주수·면적 및 수익성 그 밖에 가격형성에 관련되는 제
요인을 종합 고려 평가(벌종주면수익)

Ⅱ 벌채시기인지 여부의 판단

Ⅲ 평가액

1. 벌채시기에 달한 경우

보상 없음

2. 벌채시기에 달하지 않은 경우

(1) 거래가격이 있는 경우

거래가격 - 벌채비용 - 운반비

(2) 거래가격이 없는 경우

소요비용의 현가액

예상총수입 현가 - 장래투하비용 현가

67	**농작물의 보상감정평가**

Ⅰ 평가개요

농작물의 손실은 농작물의 종류 및 성숙도 등을 종합적으로 고려(시행규칙 제41조)

Ⅱ 수확기에 달했는지 여부

Ⅲ 평가액

1. 수확기에 다다른 경우

보상 없음

2. 수확기 이전인 경우(가격으로 보상)

(1) 거래가격이 존재하는 경우 : 거래가격

(2) 거래가격이 존재하지 않는 경우

소요비용의 현가액

예상총수입 현가 - 장래투하비용 현가 - 상품화가능한 가격

3. 파종 중인 경우

투하된 비용 현가

68 보상감정평가 - 영업손실[휴업]

Ⅰ 평가개요

「토지보상법 시행규칙」제45조 및 제47조

Ⅱ 보상대상 여부(규칙 제45조)

영업보상의 요건 판단(시간적 요건, 장소적 요건, 시설적 요건, 계속요건, 허가 등 요건)

Ⅲ 휴업기간 중 영업이익(규칙 제47조)

1. **손익계산서상 영업이익** : 3년치를 평균하여 결정

2. **최저한도액(개인영업의 경우)** : 휴업기간 중 3인 가구 도시근로자 가계지출비

3. **휴업기간 중 영업이익**

Ⅳ 고정적 비용 등

인건비, 제세공과금, 감가상각비, 광고비, 보험료, 임차료 등 실제 휴업기간 중 소요될 것으로 예상되는 금액(인제감광고보임)

Ⅴ 영업시설의 이전비 등

Ⅵ 영업장소 이전 후 발생하는 영업이익 감소액

휴업기간 중 영업이익의 20%(상한 1천만원)

Ⅶ 영업손실보상액

휴업기간 중 영업이익 + 휴업기간 중 고정적 경비 + 영업장소 이전 후 발생하는 영업이익 감소액 + 그 밖의 부대비용 + 이전비 등(이전비 + 감손상당액)

69 | 보상감정평가 – 영업손실(휴업, 일부편입)

I 평가개요

「토지보상법 시행규칙」 제47조 제3항

II 일부편입(보수)에 의한 보상평가액

1. 해당 시설의 설치 등에 소요되는 기간의 영업이익

2. 해당 시설의 설치 등에 통상 소요되는 비용

3. 영업규모의 축소에 따른 영업용 고정자산 · 원재료 · 제품 및 상품 등의 매각손실액

4. 보수기간 중 고정적 비용

III 이전(휴업)에 의한 보상평가액(상한)

IV 보상평가액

양자 중 작은 금액으로 결정

70 보상감정평가 – 영업손실(폐업)

Ⅰ 평가개요

「토지보상법 시행규칙」 제45조 및 제46조

폐업보상 요건 검토(배후지 특수성으로 이전불가, 법적으로 이전불가, 혐오시설로서 사실상 이전불가 中 하나에 해당, 규칙 제46조)

Ⅱ 연간 영업이익 결정

1. 손익계산서상 영업이익

3년치를 평균하여 결정

2. 최저한도액(개인영업의 경우)

보통인부 노임단가 × 25일 × 12월

3. 연간 영업이익 결정

Ⅲ 고정자산 매각손실액

매각손실액 = 평가가액 – 처분가액

산정 곤란 시 : 평가액의 60% 이내

Ⅳ 재고자산 매각손실액

매각손실액 = 평가가액 – 처분가액

산정 곤란 시 : 평가액의 20% 이내(수요성 있는 제품, 상품 및 신품인 원재료), 평가액의 50% 이내(수요성 없는 제품, 상품 및 사용 중인 원재료), 평가액의 60%(반제품, 재공품, 저장품)

Ⅴ 폐업보상액 결정

연간 영업이익 × 2년 + 고정자산 매각손실액 + 재고자산 매각손실액

71 농업손실보상감정평가

I 농업손실보상의 대상 여부

법 제77조 제2항

규칙 제48조

II 농업손실액 산정방법 – 원칙

도별 단위경작면적당 농작물 총수입 3년치 평균의 2년분

III 농업손실보상액 산정방법 – 실제소득 인정되는 경우

원칙 – 3년간 실제소득 평균의 2년분

작목별 평균소득의 2배 초과하는 경우 : 평균생산량의 2배까지만 인정

IV 자경농지가 아닌 경우 농업손실보상액의 배분

72 보상감정평가 - 어업권

Ⅰ 평가개요

「토지보상법 시행규칙」 제44조
「수산업법 시행령」 [별표 10]
"어업권"이란 수산업법 제7조 및 내수면어업법 제6조에 따른 면허를 받아 어업을 경영할 수 있는 권리를 말한다(실무기준).

Ⅱ 평년수익액

1. 평균연간어획량

소급 기산은 처분일이 속한 전년도를 기준하되, 현저히 변동 시 1년 간씩 소급
어획실적 3년 미달인 경우 동종의 실적기간 어획량과 3년 평균연간 어획량 고려

2. 평균연간판매단가

보상액의 산정을 위한 평가시점 현재를 기준으로 하여 소급 기산한 1년 동안의 수산물별 평균판매단가

3. 평년어업경비

4. 결정

Ⅲ 어선, 어구 등 시설물 잔존가액(보상청구 시 한함)

Ⅳ 보상액

1. 면허어업 : 평년수익액 ÷ 0.12 + 어선, 어구 등 시설물 잔존가액

2. 허가 · 신고어업 : 평년수익액 × 3년 + 어선, 어구 등 시설물 잔존가액

73 | 보상감정평가 – 광업권

Ⅰ 평가개요

「토지보상법 시행규칙」 제43조

"광업권"이란 탐사권과 채굴권을 말한다(실무기준).

Ⅱ 광산평가액

1. 연수익(상각전 순수익)

사업수익 – 소요경비

2. 가행연수의 산정(n)

예상 추정량 ÷ 연간 채광량

3. 각종 이율의 산정

(1) 세전배당이율(S)

(2) 축적이율(i)

4. 장래소요기업비현가(E)

5. 광산평가액

Hoskold법에 의한 수익가격 – E

Ⅲ 광업권 보상액

1. 광산평가액

2. 이전 또는 전용가능시설 잔존가치

3. 이전비

4. 보상액

| 74 | **축산업 보상**(규칙 제49조) |

I 평가개요

규칙 제49조에 의함

규칙 제45조~제47조 준용(영업장소 이전 후 발생하는 영업이익 감소액은 준용 제외)

II 보상대상 여부

영업손실보상대상 요건 충족

[별표 3] 기준마리수 이상 사육

III 평가액

휴업기간 중 영업이익(하한 미고려) + 휴업기간 중 고정적 경비 + 그 밖의 부대비용 + 이전비 및 감손상당액

75 | 이주정착금 등의 보상

Ⅰ 이주정착금(규칙 제53조)

주거용 건축물 평가액 × 30%(하한 1,200만원~상한 2,400만원)

Ⅱ 주거이전비(규칙 제54조)

1. 소유자(제1항)

주거용 건축물에 실제 거주 : 2月분 도시근로자가구 가계지출비

무허가건축물에 실제 거주 : 보상 ×

2. 세입자(제2항)

주거용 건축물에 고시 등이 있은 당시 3개월 거주 : 4月분

무허가 건축물에 고시 등이 있은 당시 1년 거주 : 4月분

Ⅲ 이사비(규칙 제55조)

주거용 건축물 거주자가 **사업지구 밖으로** 이사하는 경우 **동산**에 대해 이사비 보상

76 조건부평가

I 조건수용 여부(감칙 제6조)

1. 내용

2. 부가이유

3. **검토사항**(합적실)

　　(1) 합리성

　　(2) 적법성

　　(3) 실현가능성

4. 수용 여부

II 평가액